# 我的靈感記錄本

# 持續寫作

每天寫作，培養深度練習力

開始日期

_____ 年 　　　 月 　　　 日

# 打造你的靈感記錄本

寫作除了是興趣，同時也是學習……現在輪到你來改變自己了。

開始寫作之前，有幾件事情需要寫下來：

---

*1.* 你計畫在哪一個平台寫作：

_____

_____

_____

_____

✎ 台灣免費寫作平台：痞客幫、Blogger、隨意窩、字媒體、Facebook、Instagram

---

*2.* 透過寫作你想改變什麼？

_____

_____

_____

_____

✎ 剛開始寫作不需要看其他人的臉色，按照自己的心意敲打鍵盤，寫作才會開心。(P177)

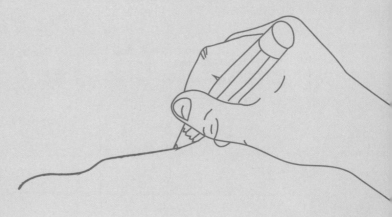

*3.* 你開始寫作的理由：

_____

_____

_____

_____

✎ 超越時空的訊息的力量，這正是我經營部落格的理由。(P156)

*4.* 每天的截稿時間：

_____

_____

_____

_____

✎ 只要定出截稿時間，在有限的時間內努力寫作的話，一定可以完成文章的。(P130)

# 與自己的寫作約定

在這裡，你必須跟自己約定「寫作守則」，
並且非常用力地守住約定！

1. _____
_____
_____

2. _____
_____
_____

3. _____
_____

4. _____
_____
_____

5. _____
_____

✎ 每天上傳一篇部落格文章是我和自己的約定，也是我和世界的公約。(P136)

# 為自己的生活塗色

為現在的生活塗色,在各方面,你可以填滿幾個色塊呢?

| 持續力 | 0 | 1 | 2 | 3 | 4 | 5 | 6 | 7 | 8 |
|---|---|---|---|---|---|---|---|---|---|
| 好奇心 | 0 | 1 | 2 | 3 | 4 | 5 | 6 | 7 | 8 |
| 觀察力 | 0 | 1 | 2 | 3 | 4 | 5 | 6 | 7 | 8 |
| 幸福感 | 0 | 1 | 2 | 3 | 4 | 5 | 6 | 7 | 8 |

# 為自己喊話

開始寫作前,對自己信心喊話吧!

_____

_____

_____

_____

✎ 「因為有規律的今日,未來才寬廣無限。」我想抱持著全盛時期尚未來臨的信念一直活下去。
(P246)

# 靈感記錄本 使用說明

*1.* **左上角小框：**
填入「寫作累計天數」，從第一天開始計算。

*2.* 填入寫作日期。

*3.* **左邊空格：**
任何時刻腦中產生的靈感，化做簡短的關鍵詞
記錄。剛開始嘗試寫作，請先觀察自己「開心
的瞬間、最近看的書或電影」將生活融入寫
作！

*4.* **右邊空格：**
將靈感關鍵詞整理成句子、寫作大綱。

*5.* **7天靈感整理：**
七天過後，回顧七天曾經寫下的靈感，觀察自
己的靈感思路，說不定有意想不到的發現。

規律地寫下去，總有一天你的部落格和你的人生都會變得更加豐富。
(P238)

5

2019 / 01 / 05

- 計程車司機
- 生活智慧
- 日語（日本殖民時期）
- 86歲
- 高齡工作
- 長壽密訣 → 不抽菸
  喝酒、不生氣
- 健康投資

每位計程車司機對我而言就像是一本書。

傾聽他所說的各式各樣生活智慧。

司機的日文講得非常好。

管理密訣：「我不喝酒、抽菸，我沒碰過那些對身體有害的東西。而且我也不生氣。沒有壓力的生活是最重要的。」

## 7 天靈感整理

- 新年禮物的三個條件：不花一毛錢就能做的事、隨時隨地都能做的事、即使中途放棄也絕對不要自責。(P113)

- 《種族滅絕》閱讀：人種屠殺、原本我無法理解的世界、《我冷酷無情的力量》……(P149)

- 《屍速列車》電影：KTX高鐵、李敬揆、延尚昊《豬玀之王》……(P189)

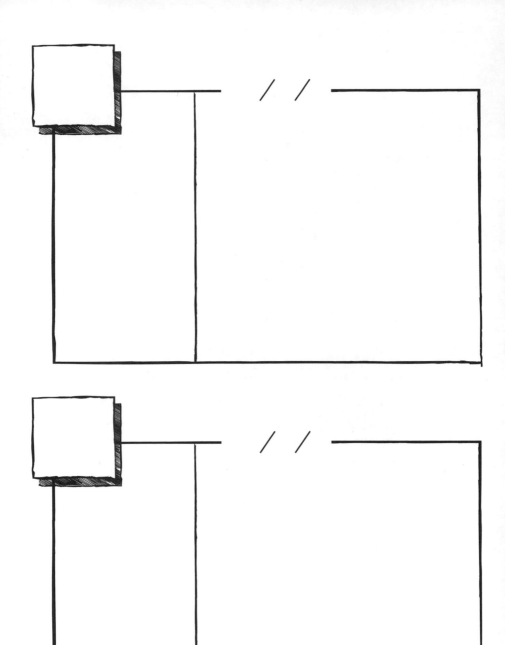

每天早上寫一篇文章，使我更加深刻體會我是自己人生的主人。(P.12)

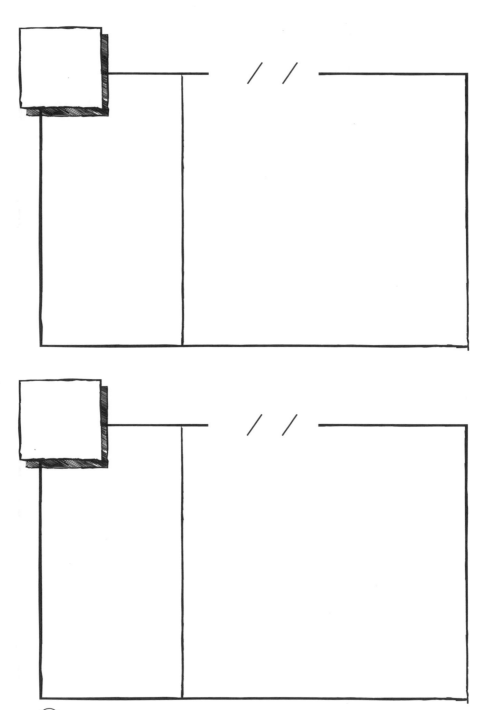

我能向你明確地保證，我們每個人都有說話和寫作的才能。(P121)

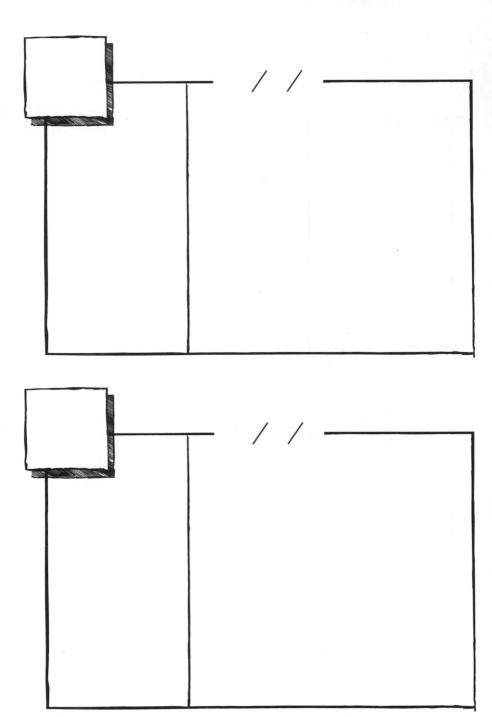

一早起床最先做的事情就是我想做的事情。在那瞬間，我會寫下我最想寫的文章。(P12)

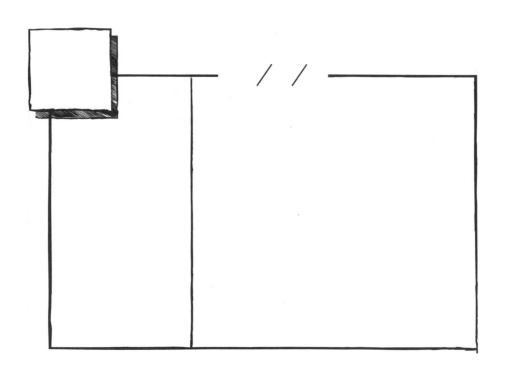

## 7 天靈感整理

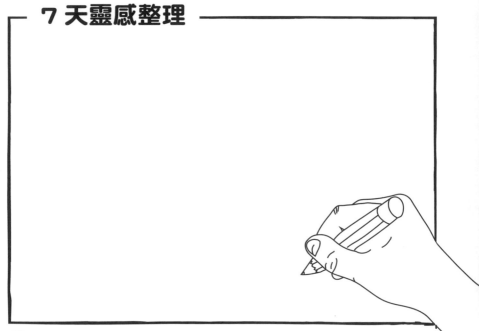

如果不將才能表現出來，才能就只會是腦海中的眾多妄想之一而已。
(P171)

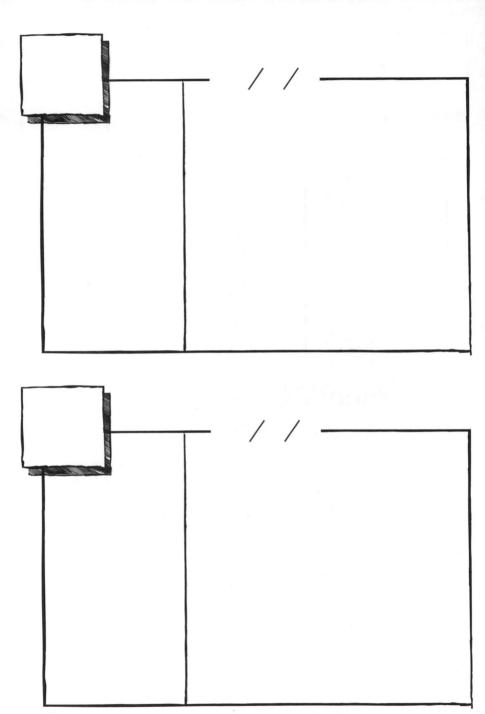

賺錢的工作雖然重要，但對我而言，不賺錢也想做的玩樂般的工作更加珍貴。(P21)

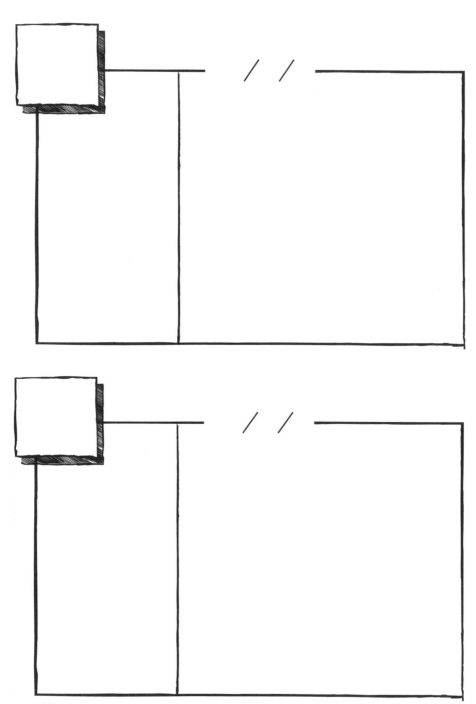

為了寫文章我更加認真旅行，也努力讀書，工作時也變得更認真。
(P240)

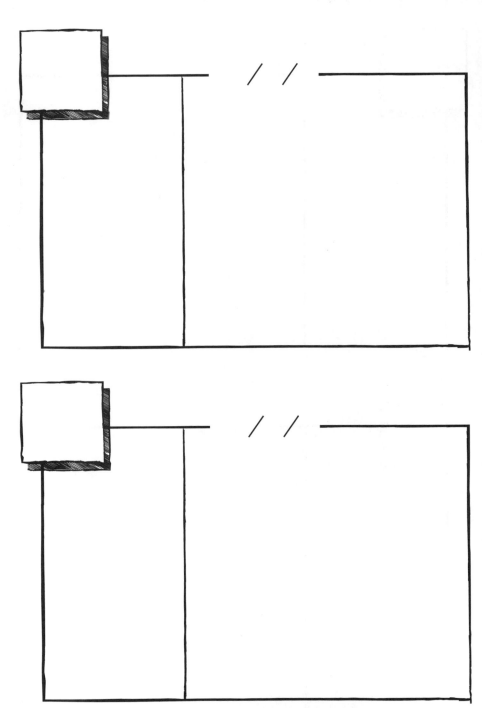

我們必須努力讓自己從媒體的消費者變成重度使用者，進而變成製造者才行。(P23)

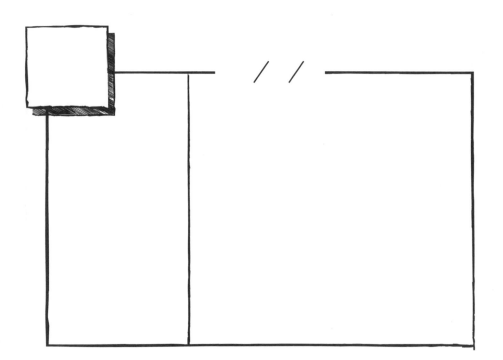

## 7 天靈感整理

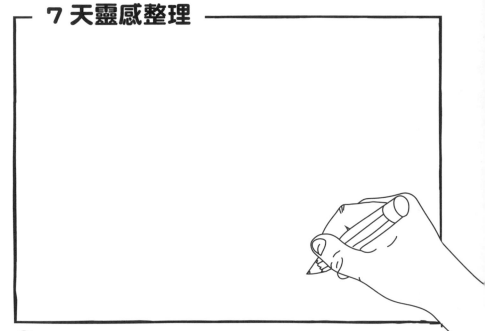

請把現在感受到的所有情緒確確實實地寫成文字，將所有心情都吐露在日記本之後便遺忘吧。(P224)

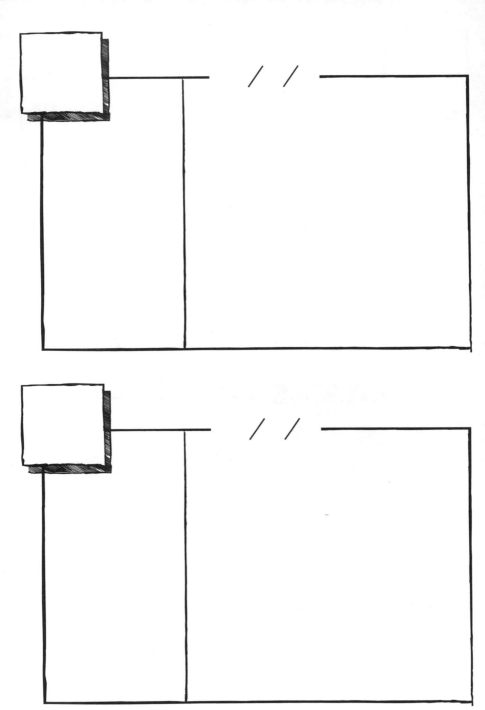

即使人工智慧再怎麼會讀書，再怎麼會寫文章，我也不會放棄閱讀和寫作。(P23)

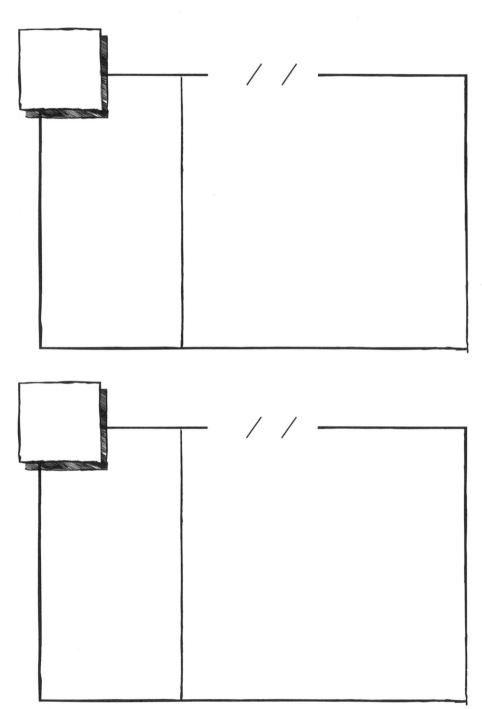

過著想留下紀錄的日常生活，每天愉快地度過才會成為酷炫的人生。
我今天也持續為自己加油。(P186)

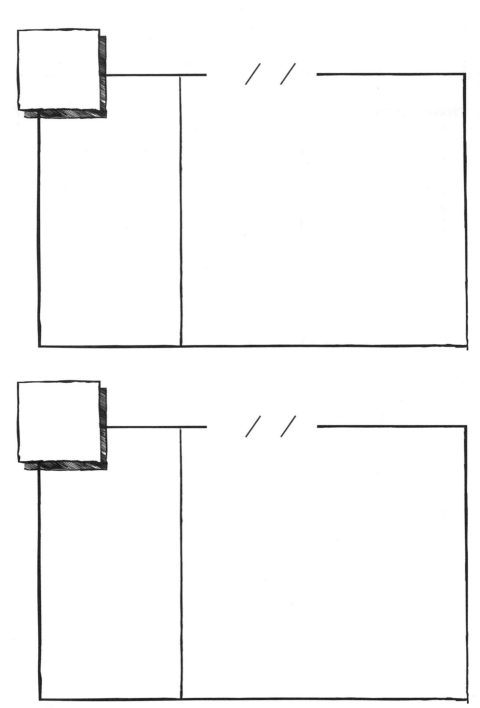

開始做任何事一定要以樂趣為主，懷抱著就算不賺錢，只要有趣就可以的想法堅持下去。(P27)

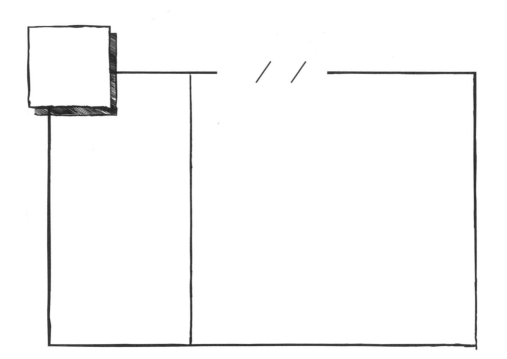

## 7 天靈感整理

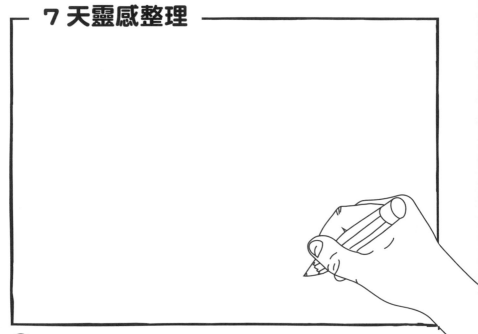

我能夠理解他的缺點，並且終身熱愛的人是誰呢？正是我自己。(P185)

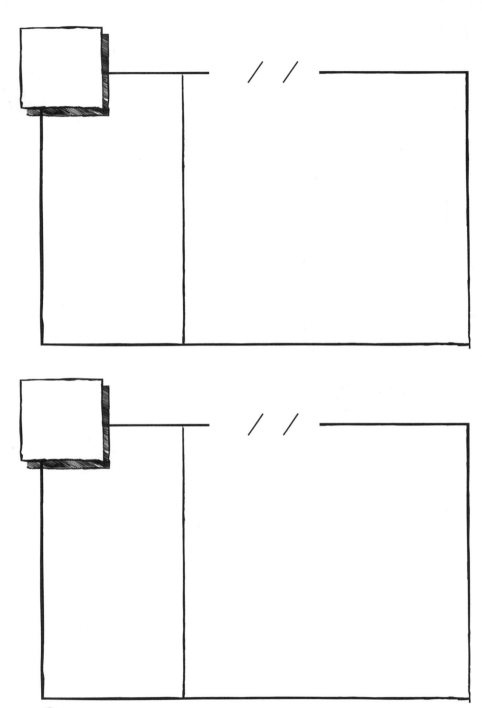

認真玩樂甚於工作？乍聽之下像是句年少無知的話，但這將成為未來最佳的生存戰略。 (P27)

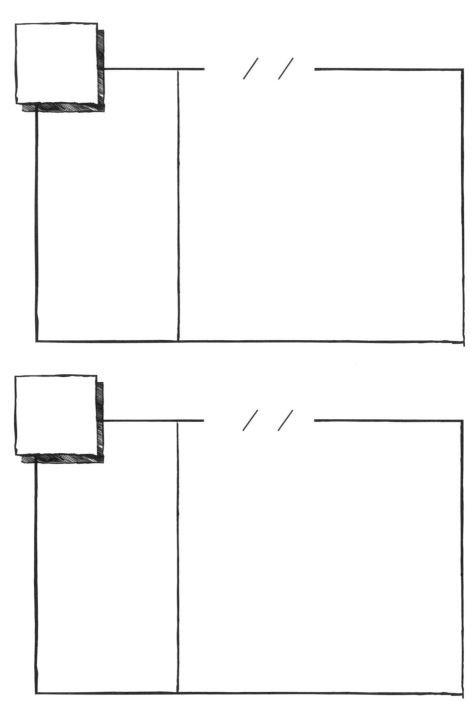

只要是我想做的事情，無論旁人如何置喙我都會做。畢竟這是我的人生，其他人不可能代替我生活，不是嗎？(P183)

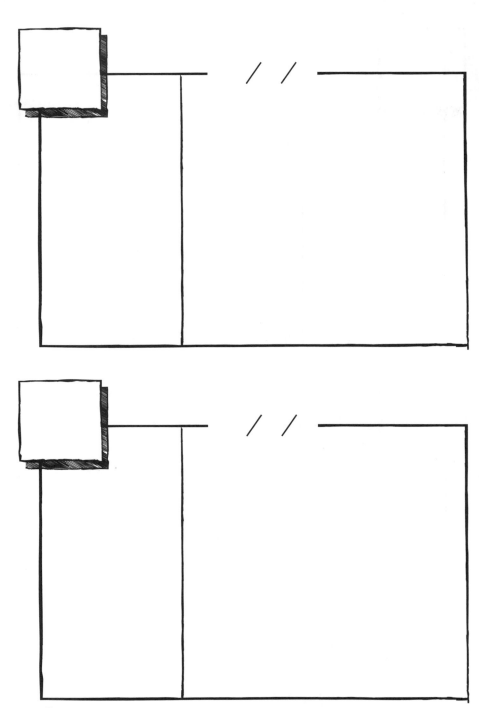

要經常自問，玩什麼會讓自己感到快樂。(P31)

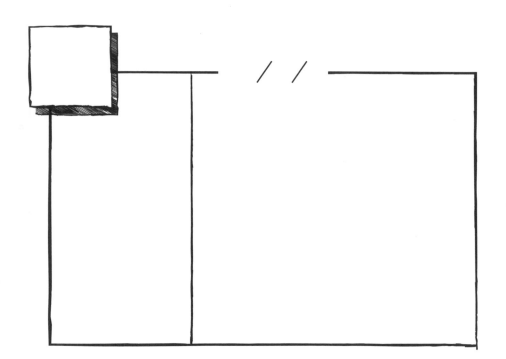

## 7 天靈感整理

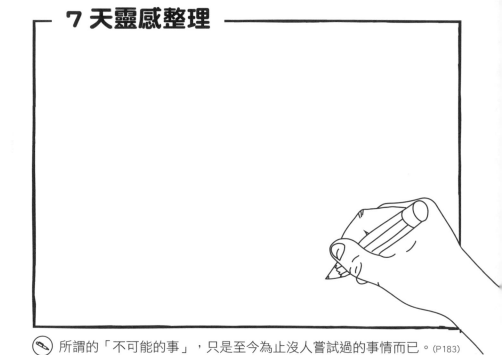

所謂的「不可能的事」，只是至今為止沒人嘗試過的事情而已。(P183)

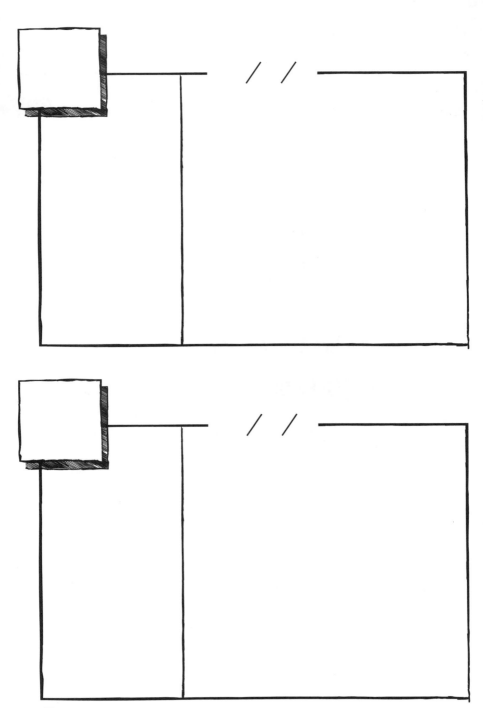

要培養個人創造力的最好方法就是打造出多面向的自己，讓不同面向的自己互相合作。(P34)

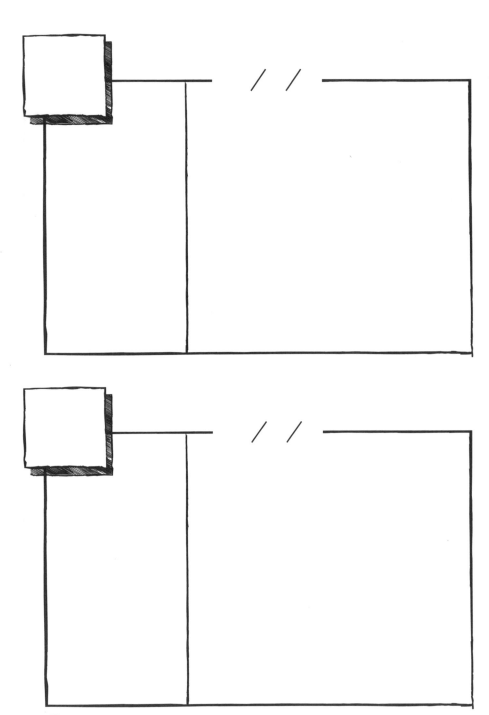

英文學習和寫作一樣，不花時間就想做好是不可能的。(P181)

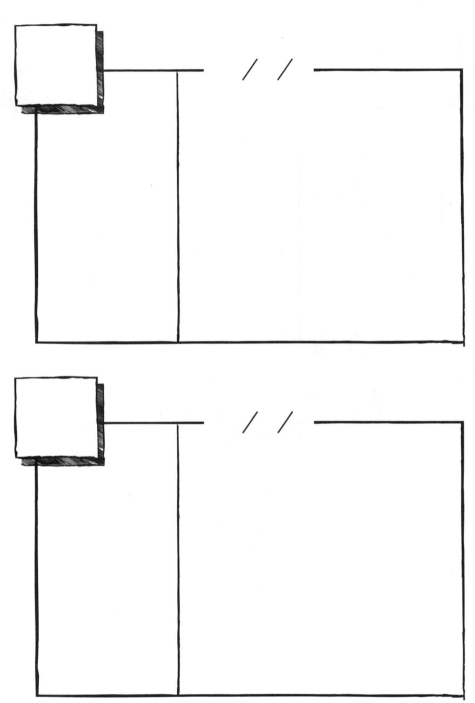

創作沒有必勝法，只有在完成前不斷嘗試才是前往創作的道路。(P36)

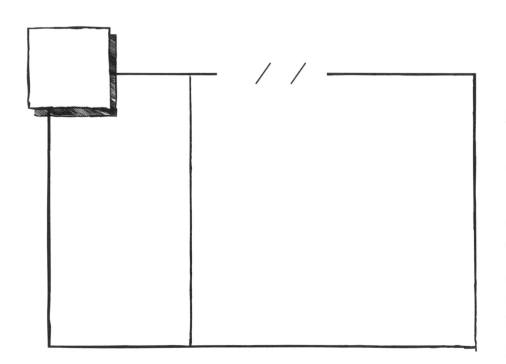

## 7 天靈感整理

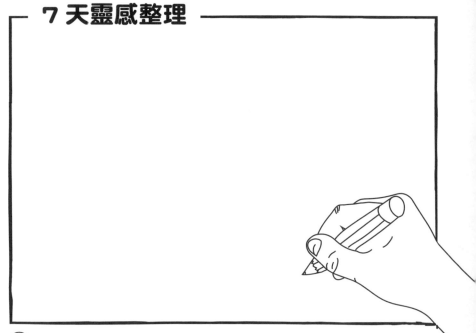

剛開始寫作不需要看其他人的臉色,按照自己的心意敲打鍵盤,寫作才會開心。(P177)

## 到了這一頁，
## 你已經持續寫作超過 30 天了……

寫作現在已經是你生活的一部分，你開啟了主動性人生。
現在再一次自我評量，看看30天後的自己有什麼不同！

持續力 | 0 1 2 3 4 5 6 7 8

好奇心 | 0 1 2 3 4 5 6 7 8

觀察力 | 0 1 2 3 4 5 6 7 8

幸福感 | 0 1 2 3 4 5 6 7 8

並不是執導當紅電視劇就是幸福，快樂是
來自於我上傳每一篇文章的瞬間。請不要
忘記，幸福不靠強度，而是頻率。

——摘自書中 P49

在這一頁，發洩這三十天的寫作感想吧。
接下來還要持續寫下去……

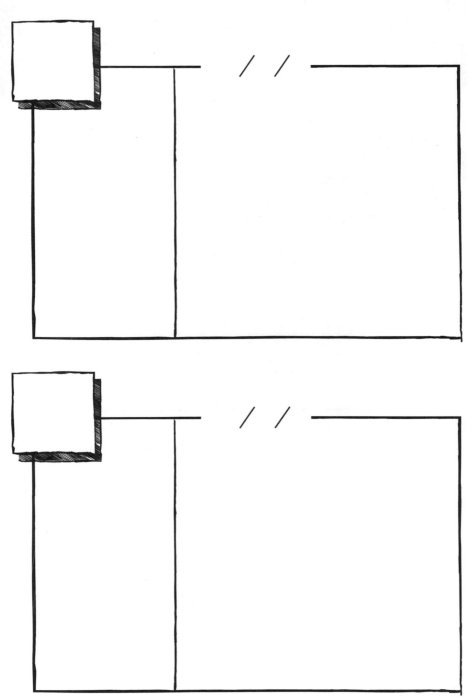

✏️ 我每天想一個文章靈感，選出主題並編輯，藉此鍛鍊我的創造力。

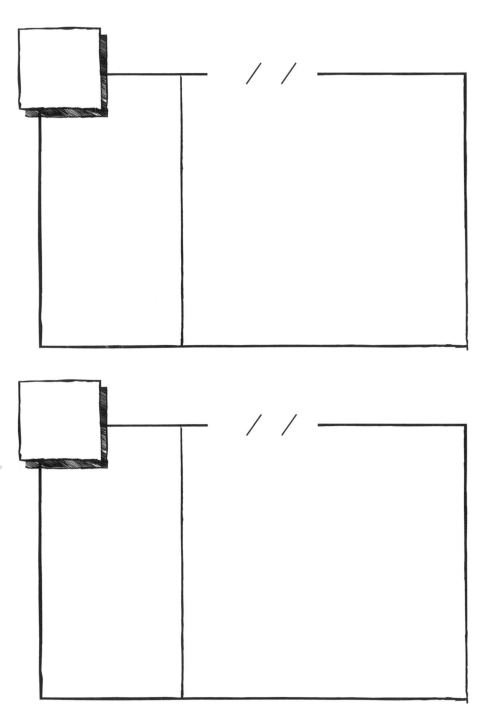

不是因為生活特別才記錄，而是因為每天記錄才讓生活變得特別。我如此地相信著，今天又是充滿幹勁的一天。(P176)

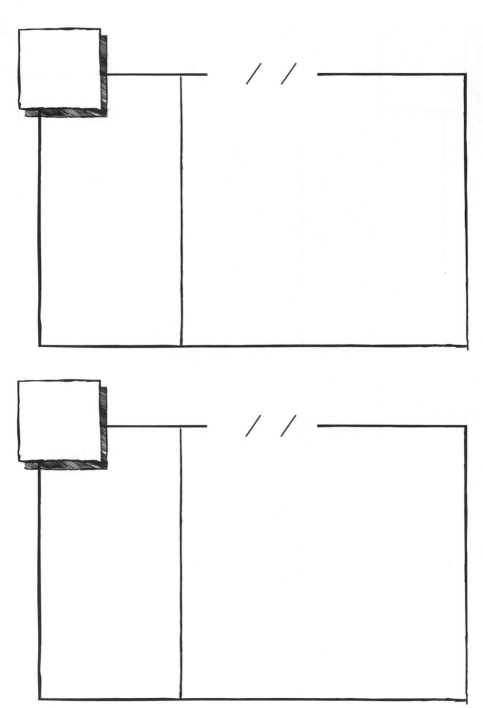

雖然我經常失敗，但我卻無法放棄。為什麼？因為這是我的人生。我不能因為不成功就放棄。(P37)

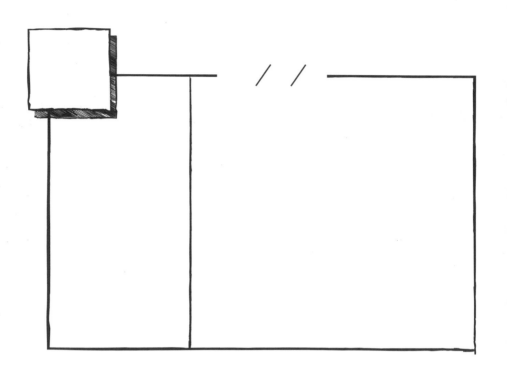

## 7 天靈感整理

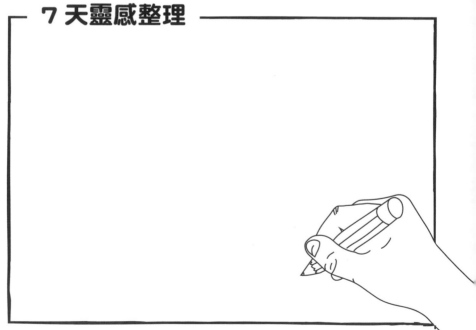

即使是平凡的對話，我也會細細品味、用心記錄，再賦予我個人認知的意義，就成了一篇想與大家分享的故事。(P176)

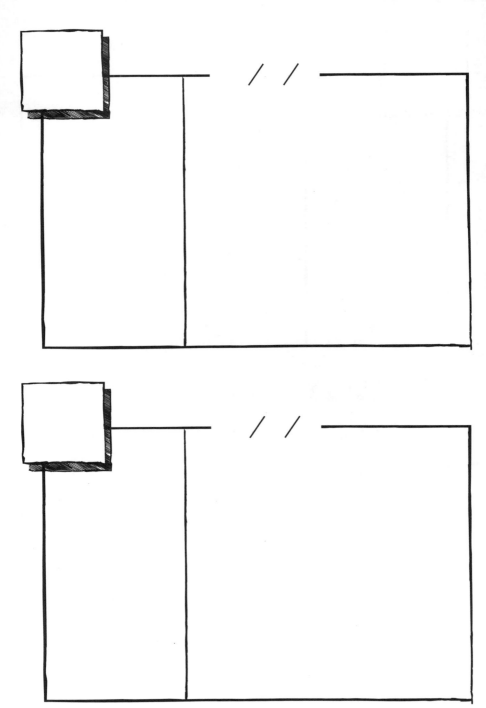

閱讀是我的興趣，寫作是一種學習，所以我樂在其中。 (P38)

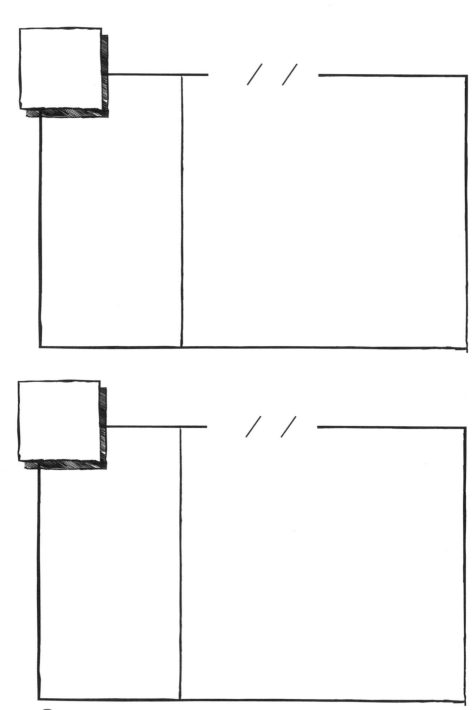

無論是什麼，要做就要即時當下實行。(P173)

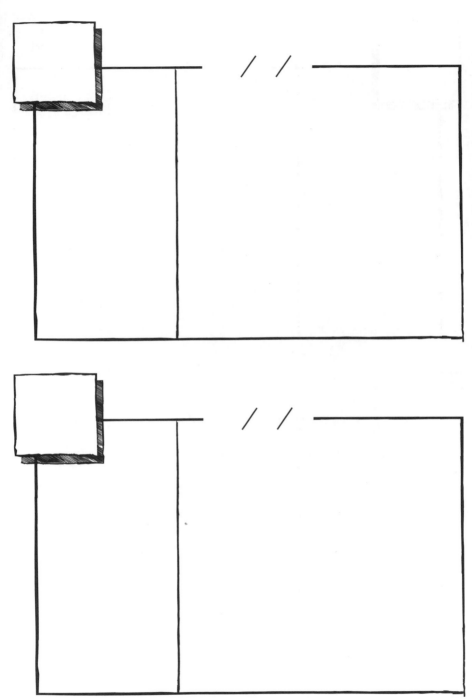

由於寫作是始於閱讀，因此寫部落格會讓自己養成日常的讀書習慣。

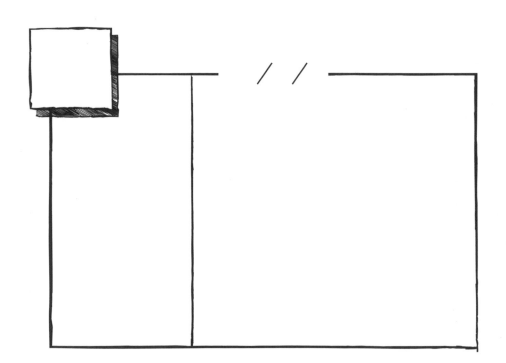

## 7 天靈感整理

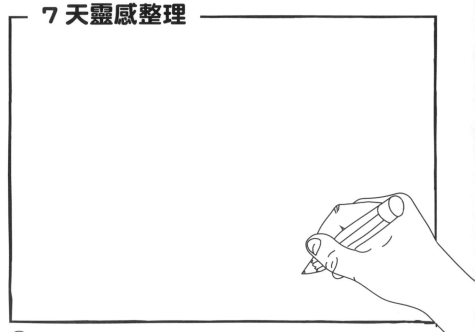

要等到條件都滿足時才能開始學習的話，只要條件有些誤差就會立刻放棄學習的。(P173)

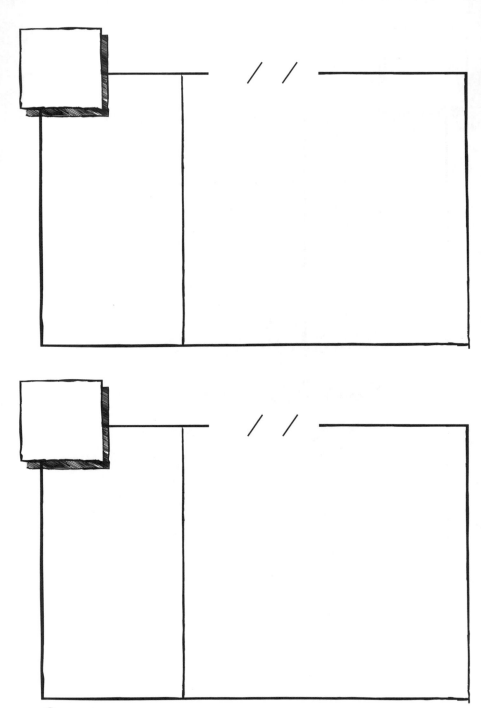

寫作除了是興趣，同時也是學習。在學習某件事時，最好的方法就是
寫關於該事物的文章。(P107)

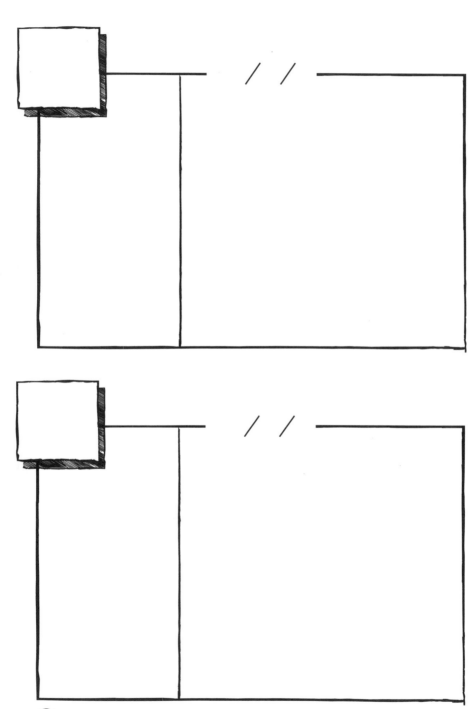

挖掘新故事的首要祕訣就是徹底地熱愛某件事物。(P168)

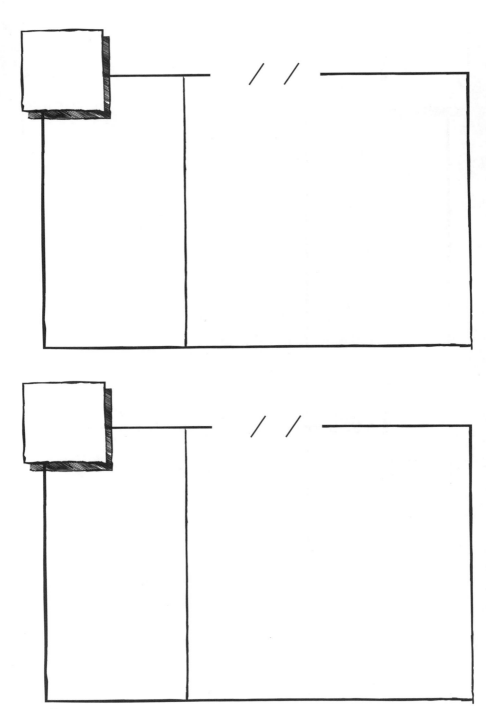

將腦海裡的想法寫成文字可以釐清想法，讓知識變得更加明確。(P107)

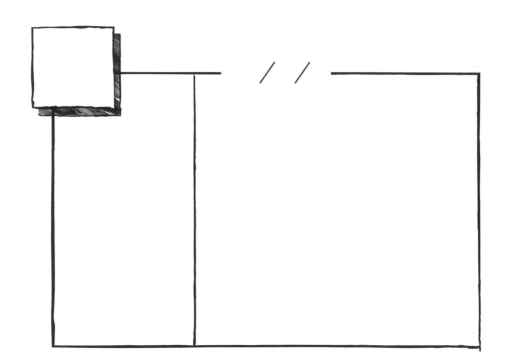

## 7 天靈感整理

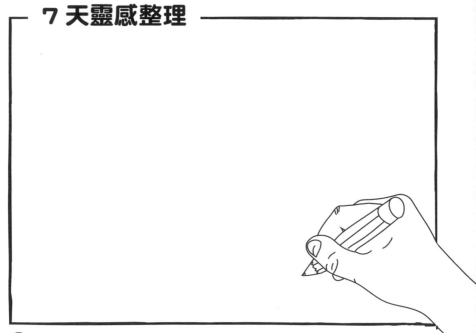

如果想要規律地享受部落格的樂趣，最先要做的是找出自己熱愛的事物。(P168)

## 到了這一頁，
## 代表你堅持寫作超過了 50 天……

真的非常不容易！
現在沒有寫作的時刻，是否會懷念寫作時光呢？
現在再一次自我評量，看看與50天前的自己有什麼不同！

持續力
|   | 0 | 1 | 2 | 3 | 4 | 5 | 6 | 7 | 8 |

好奇心
|   | 0 | 1 | 2 | 3 | 4 | 5 | 6 | 7 | 8 |

觀察力
|   | 0 | 1 | 2 | 3 | 4 | 5 | 6 | 7 | 8 |

幸福感
|   | 0 | 1 | 2 | 3 | 4 | 5 | 6 | 7 | 8 |

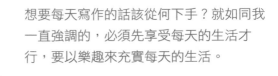

想要每天寫作的話該從何下手？就如同我
一直強調的，必須先享受每天的生活才
行，要以樂趣來充實每天的生活。

——摘自書中 P128

至今已經累積了50篇文章！
哪一篇文章最深刻影響你呢？

_____

_____

_____

_____

_____

_____

_____

_____

_____

_____

_____

_____

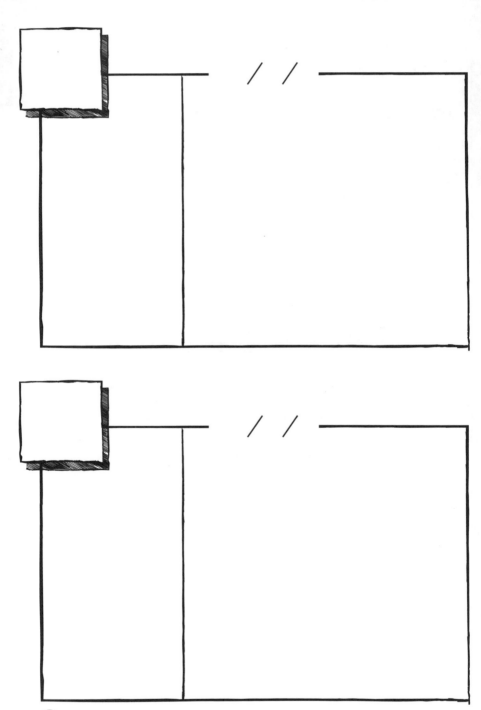

我相信，韌性是達到成功最重要的因素。(P118)

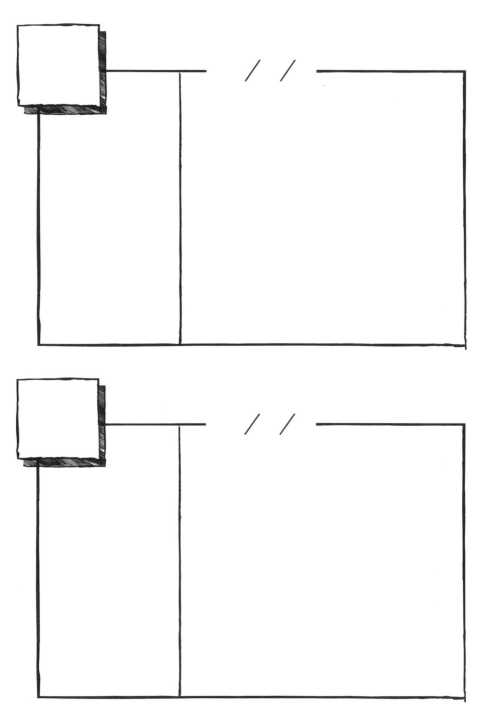

造訪美食餐廳的日常生活、在書中讀到感動段落的瞬間，這些點滴都能成為珍貴的題材。(P168)

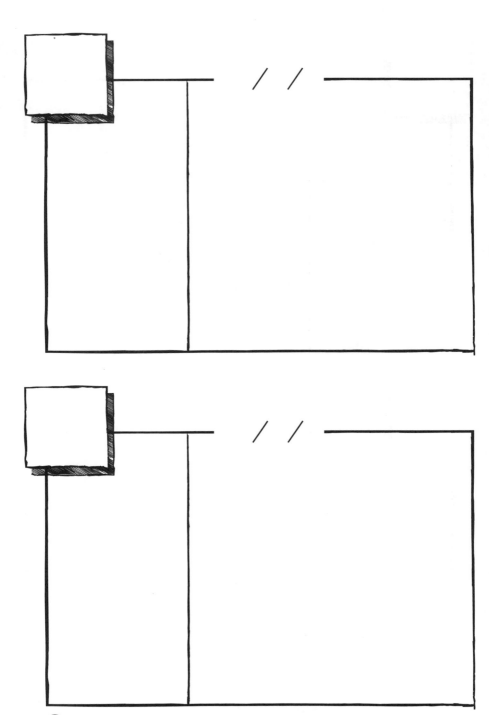

變成大人之後，我發現在人生當中，韌性比才能更加重要。 (P120)

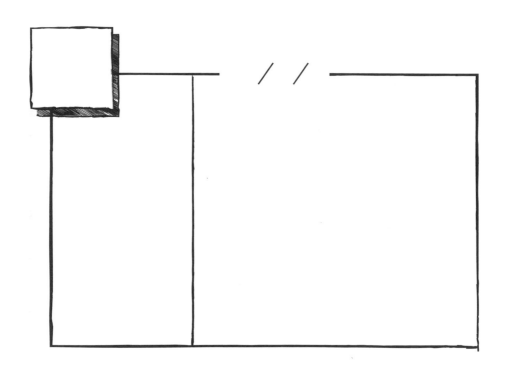

## 7 天靈感整理

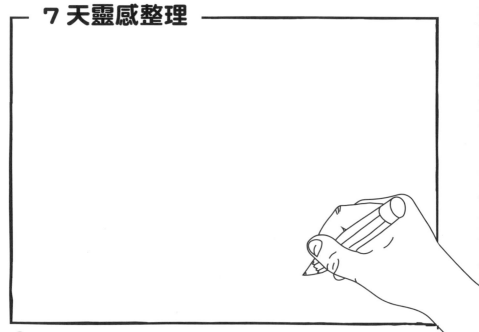

若是真的熱愛某件事，能輕鬆地表現出那份熱愛的最佳道具就是部落格。(P168)

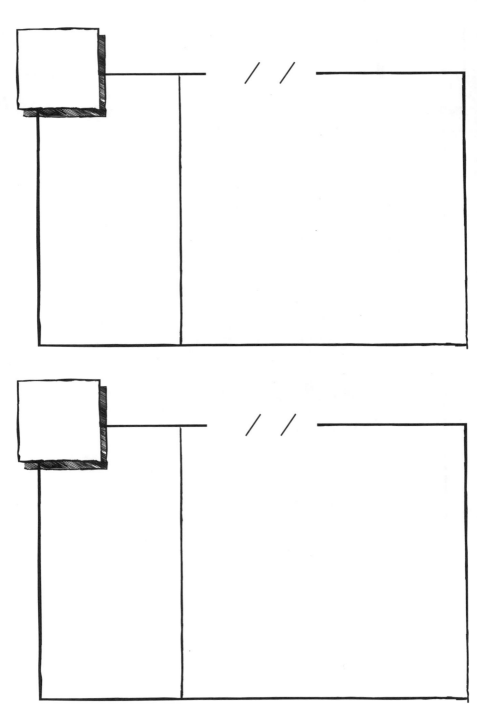

如果你好奇自己是否具備寫作的才能，就先從每天寫一篇文章做起吧。(P121)

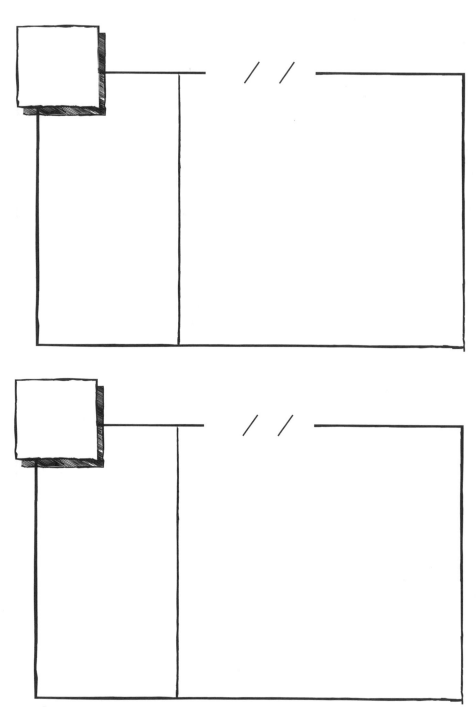

我們為什麼要寫文章？書評家今正延說，我們寫文章是為了獲得人心。(P166)

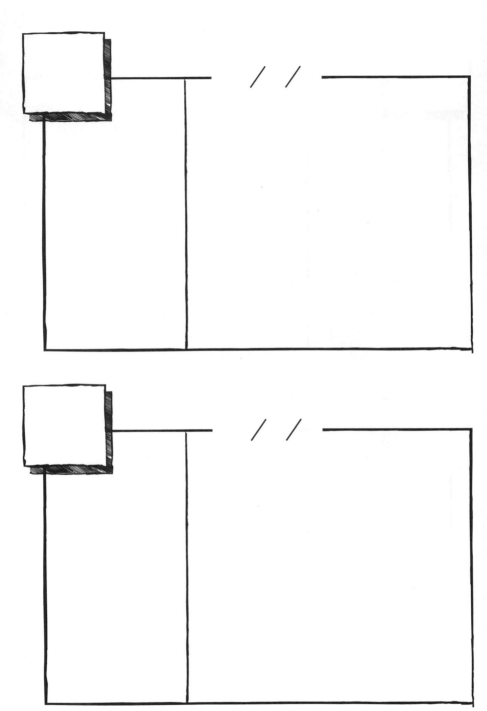

在人工智慧的時代，最必須具備的力量就是原創性，而原創性的第一元素正是韌性。(P121)

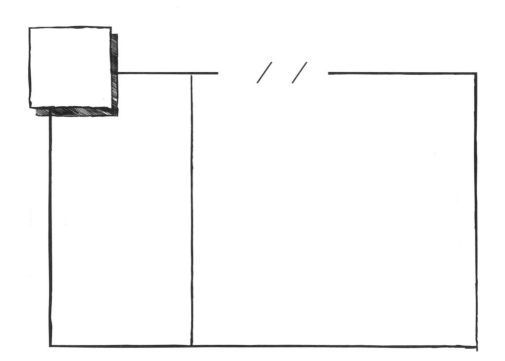

## 7 天靈感整理

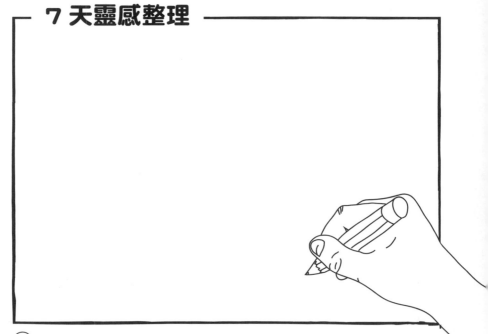

即使我們不是被選中的少數專家也能訴説自己的故事，這是部落格帶給我們的最佳禮物。(P163)

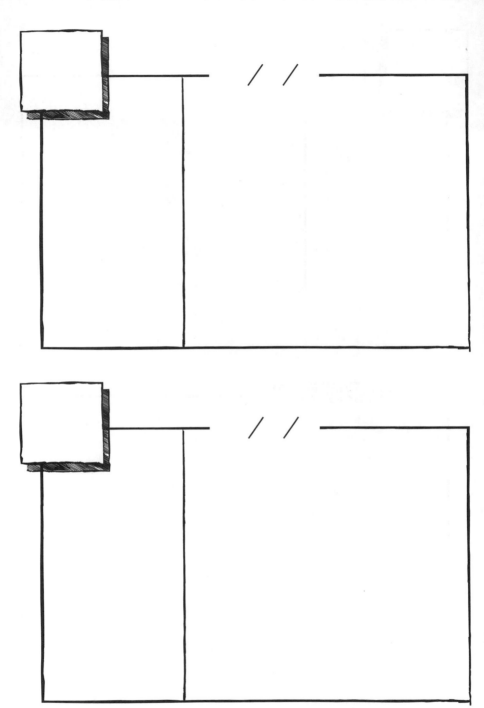

我希望，透過長久以來固定上傳的文章來顯露出我的思想，也希望能藉此讓我的人生樣貌更加清晰。(P123)

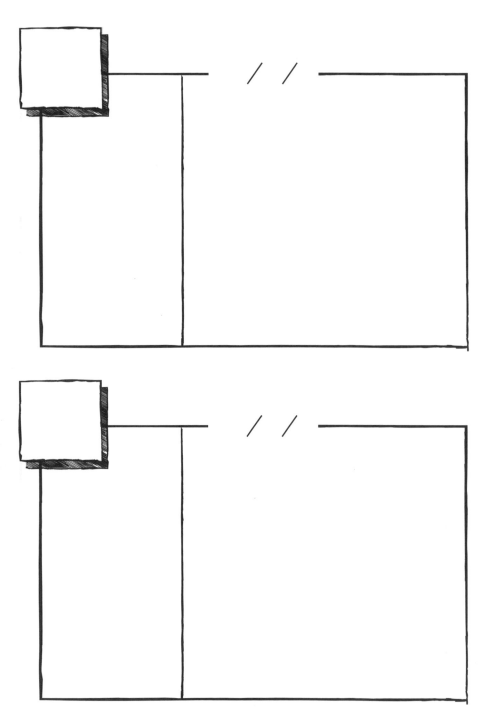

或許平凡人經營的部落格之所以有趣，是因為觀看他人的夢想很有趣
也説不定。(P163)

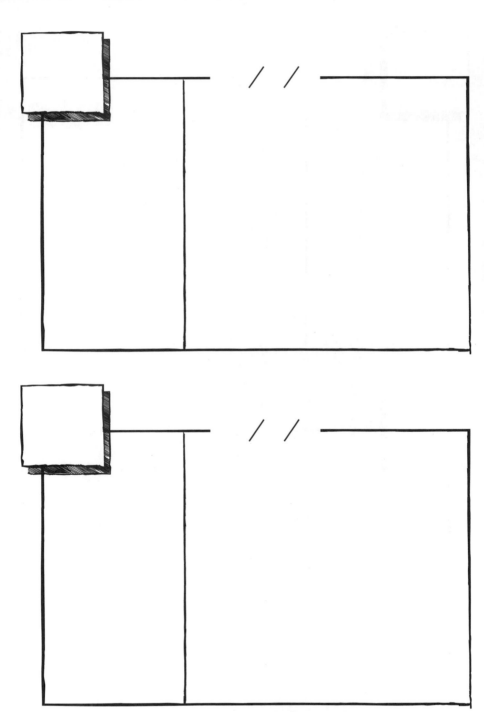

想要每天寫作的話該從何下手？就如同我一直強調的，必須先享受每天的生活才行，要以樂趣來充實每天的生活。(P128)

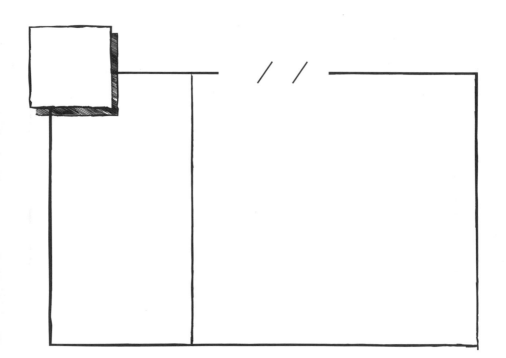

## **7 天靈感整理**

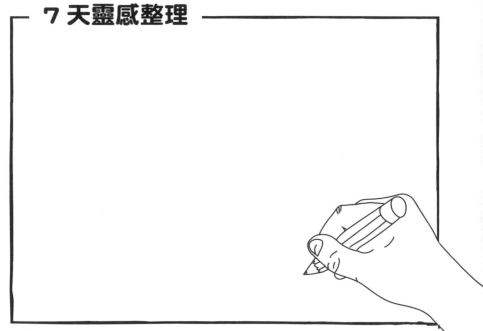

所有部落格都是某個想向前前進的人的人生，同時也是某人的夢
想。(P162)

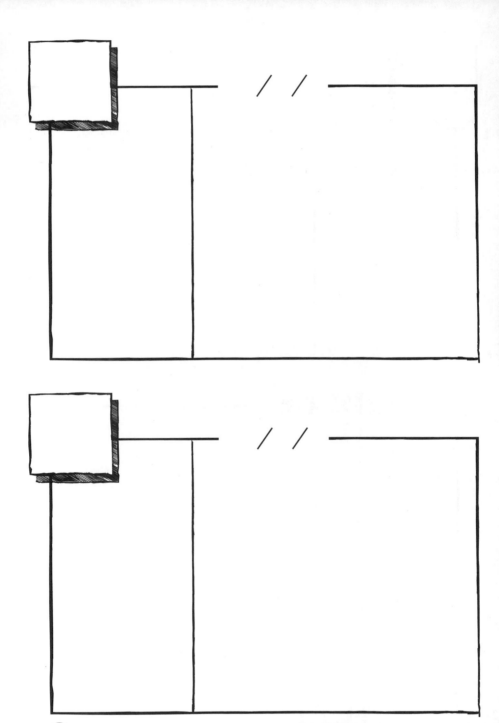

用小小的樂趣填滿每一天，把日常生活的幸福分享給他人正是所謂的
經營部落格。(P129)

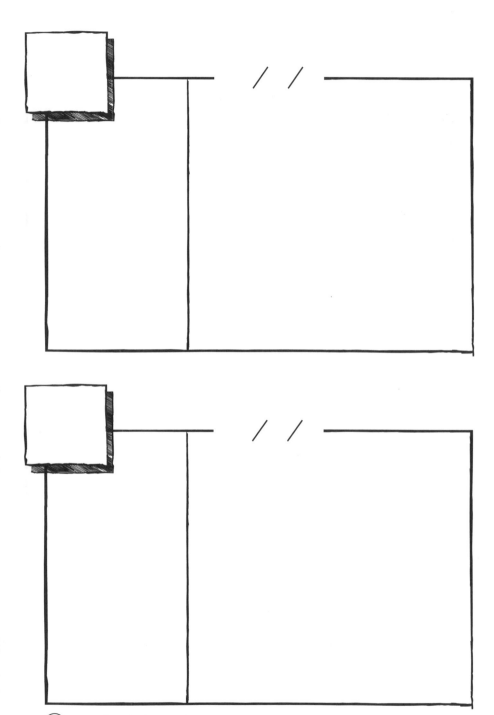

平凡的日常生活紀錄更加有趣，因為這讓人能輕易地感同身受。(P159)

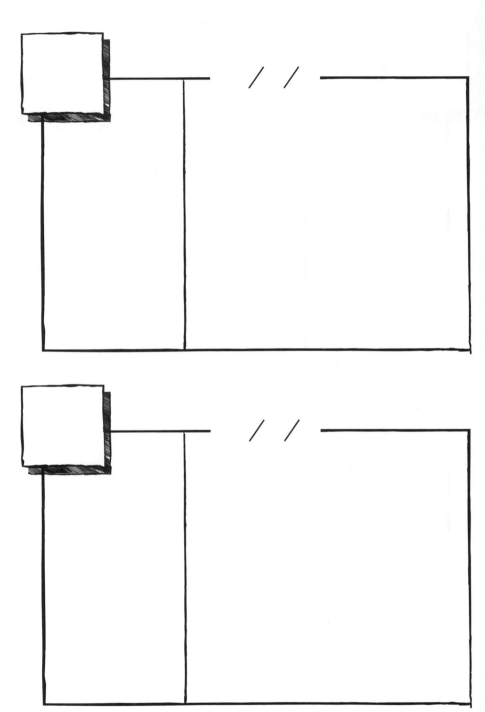

有時候我們會藉口不願妥協並放棄品質而推遲截稿時間。這當然是個卑鄙的藉口。(P144)

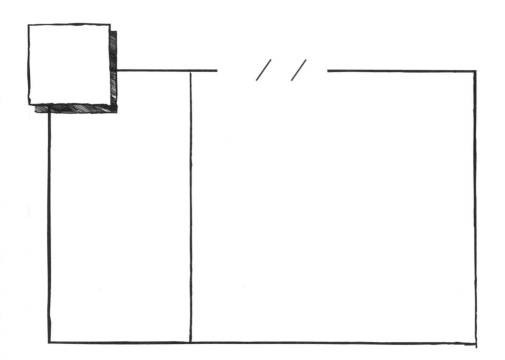

## 7 天靈感整理

所有不凡的故事的出發點都源於平凡的素材。(P158)

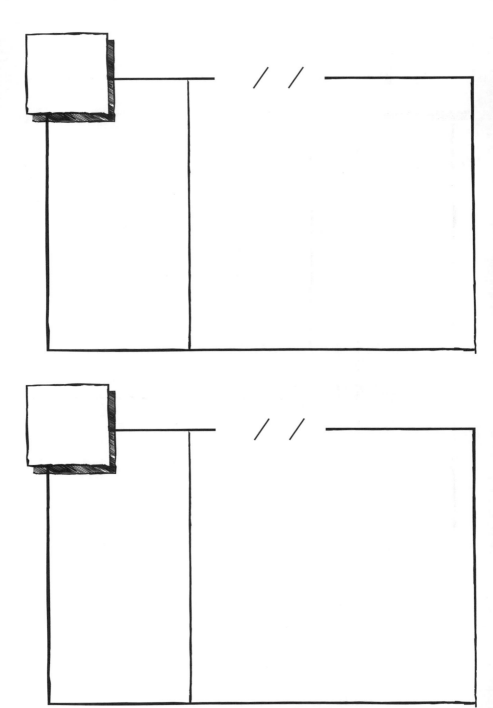

大家會覺得每天寫文章很浪費時間，但是這反而賺到了一些時間。

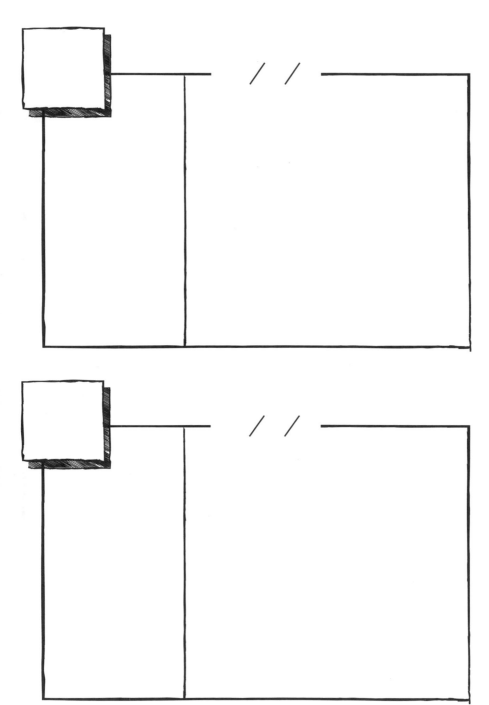

回饋和回應，這兩點是我將自己遇見的所有人變成好老師的方法。

(P236)

## 你做到了！
## 完成了一整本靈感記錄本！

再翻一次你的靈感筆記本吧，好好享受往日時光！

已經寫作超過80天，你一定有許多感想，
在這裡大大的寫下深度練習寫作後的感想，並上傳跟大家分享～

# 你今天寫了沒？

接下來的日子裡，
請挑選自己喜歡的筆記本，
繼續寫下靈感，寫作人生就是往後的人生。

## 我的靈感記錄本

出　版　者｜大田出版有限公司
　　　　　　台北市 10445 中山北路二段 26 巷 2 號 2 樓
E－m a i l｜titan3@ms22.hinet.net　http：//www.titan3.com.tw
編輯部專線｜（02）2562-1383　傳真：（02）2581-8761
　　　　　　【如果您對本書或本出版公司有任何意見，歡迎來電】

總　編　輯｜莊培園
副總編輯｜蔡鳳儀　編輯｜陳映璇

大田出版 FB　　大田出版讀書會